飛び越える、道をつないで　　進藤 環

西に向かうために、山を越えていた。
巨木な杉を眺めながら歩いていたら
「今来た道をお戻りなさい」
と書かれた看板が目の前に現れた。

そのまま先を急いだ。

空を見ると、少し赤みがかった明るい色が広がって
遠くで鳥がうるさく鳴いている。

突然、嗅いだことのない匂いにつつまれ
目の前に埋没林が現れた。
銀色に発光しているようにみえる白い砂で埋まった木々の
神秘的な様子を眺めていた。

そもそも地面を埋めつくしているこの白い砂は
どこからやってきたのだろうか。

しばらくして道に迷ったことに気がついた。
看板のところまで戻ろうとしたが
木々に囲まれどこから来たのかわからない。
急いで食料を探した。
ポケットの中に叔母がくれた豆が入っていた。

他のことに気を取られて
小川が流れていることに気がつかなかった。
そのうち鳥の鳴き声は聞こえなくなり
かわりに爆発音が響き始めた。
このまま小川に沿って歩けば海に出られるだろうか。
しかしここは遠く離れているはずだ。

FLYING AWAY, CONNECTING WITH A PATH

TAMAKI SHINDO

包囲・岩　2011

来る者と行く者と居続ける者　2010

見えないところに隠す　2011

絶え間なく沿う　2011

素早くまたは突然　2011

Traverse 2011

Fall line 2011

Chip away 2011

Search 2011

水の鎧　2010

Cradle of deep Ⅲ　2011

Cradle of deep Ⅱ　2011

移動砂漠　2010

一つ前からなくなった　2011

Sand flow 2012

FUKAURA 2013

蒔いた種を探す　2009

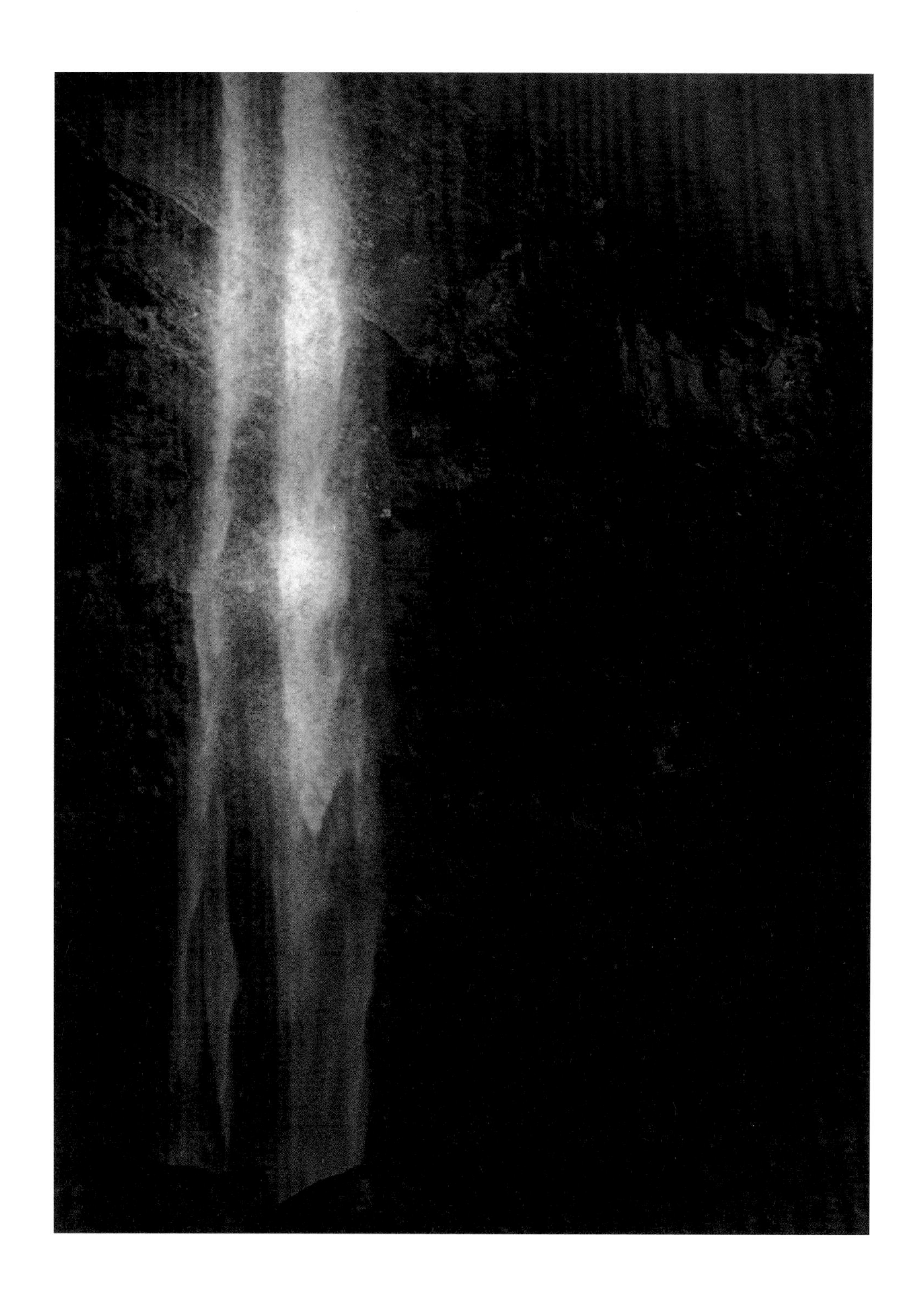

鎖と水光　2009

横たわりそして積み重ねる　2009

Night watch 2012

砂丘草原　2009

向かう、とどまる　2012

JODOGAHAMA 2013

ここにいれさえすれば　2014

骨々と風に曳きずられ　2014

針の梢とかげのない底　2014

List of the Works

P06
包囲・岩
Encircled, rocks
2011
type C print

P06
来る者と行く者と居続ける者
Coming, going, staying
2010
type C print

P07
見えないところに隠す
Hiding where invisible
2011
type C print

P09
絶え間なく沿う
Forever going with the flow
2011
type C print

P10
素早くまたは突然
Suddenly, quickly
2011
type C print

P11
Traverse
2011
type C print

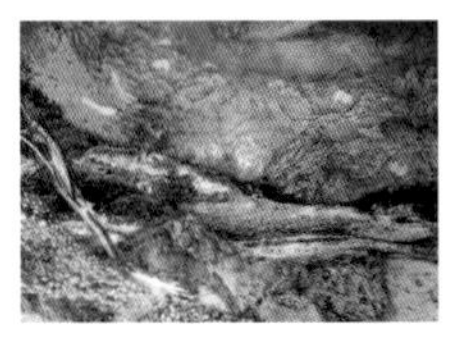

P12
Fall line
2011
type C print

P15
Chip away
2011
type C print

P17
Search
2011
type C print

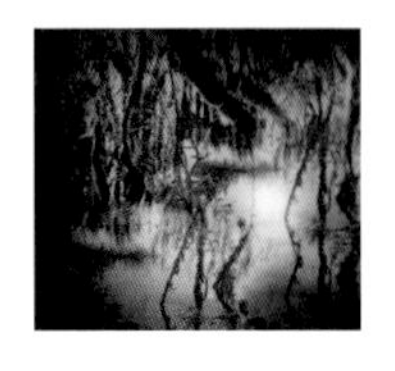

P19
水の鎧
Armored by water
2010
type C print

P20
Cradle of deep Ⅲ
2011
gelatin silver print

P21
Cradle of deep Ⅱ
2011
gelatin silver print

P23
移動砂漠
Moving desert
2010
type C print

P25
一つ前からなくなった
Already from the one before
2011
type C print

P27
Timberline
2011
type C print

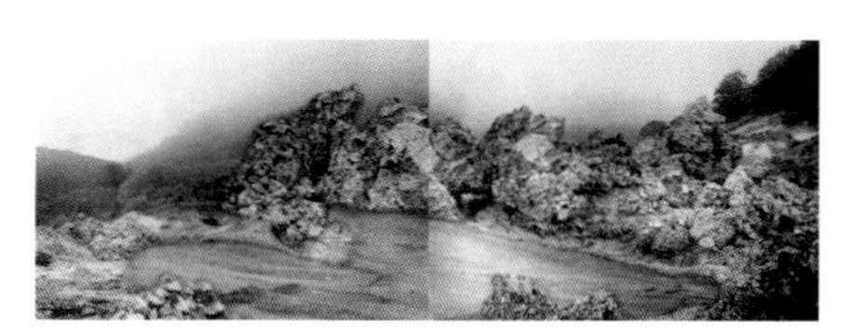

P28
Sand flow
2012
type C print

P31
FUKAURA
2013
type C print

P32
蒔いた種を探す
Searching for sown seeds
2009
type C print

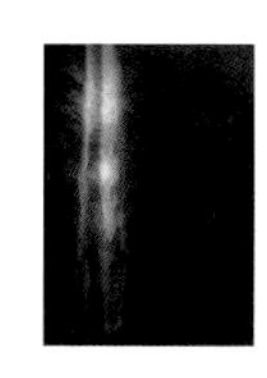

P33
鎖と水光
A chain and light on the water
2009
gelatin silver print

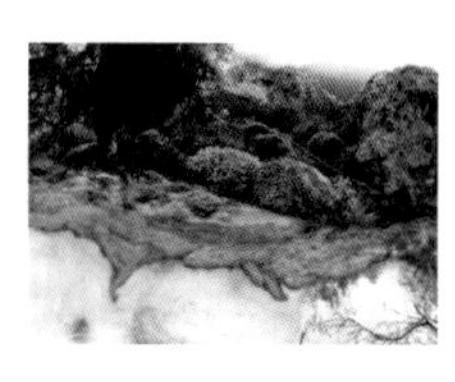

P35
飛び越える道を繋いで
Flying away, connecting with a path
2011
type C print

P37
横たわりそして積み重ねる
Lying down and piling up
2009
type C print

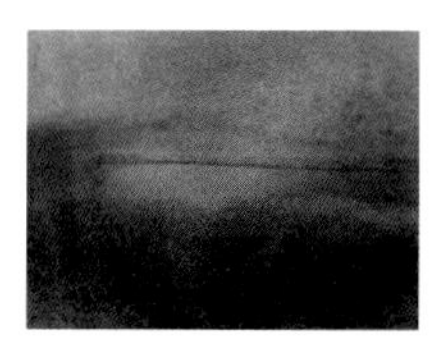

P39
Night watch
2012
gelatin silver print

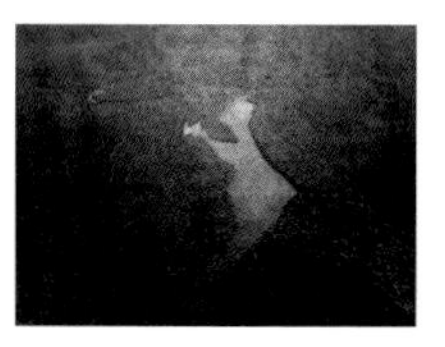

P40
砂丘草原
Dune grasslands
2009
gelatin silver print

P41
向かう、とどまる
Going and staying
2012
gelatin silver print

P42
JODOGAHAMA
2013
tupe C print

P45
ここにいれさえすれば
If only be here
2014
type C print

P46
骨々と風に曳きずられ
Bones dragged in the wind
2014
type C print

P47
針の梢とかげのない底
Needle treetops and shadowless depths
2014
type C print

進藤 環　略歴

1974 年　東京に生まれる
2000 年　武蔵野美術大学大学院油絵コース修了（修了制作優秀賞受賞）
2006 年　東京綜合写真専門学校第二学科修了

【個展】
2014 年「飛び越える、道をつないで」ギャラリー・アートアンリミテッド / 東京
2014 年「響く、回遊する」東京綜合写真専門学校 / 神奈川
2013 年「横たわりそして積み重ねる」西武百貨店（渋谷）/ 東京
2012 年「Late comer」hpgrp GALLERY TOKYO / 東京
2011 年「蒔いた種を探す」hpgrp GALLERY TOKYO / 東京
2011 年「クロックポジション」INAX ギャラリー 2 / 東京
2010 年「Wandering dunes」H.P.FRANCE WINDOW GALLERY / 東京
2010 年「湿原の砂」LOOP HOLE / 東京
2009 年「動く山」新宿眼科画廊 / 東京

【グループ展】
2013 年「mujikobo contemporary×gimlet contemporary」mujikobo / 神奈川
2013 年「Night & Day New Landscape photographers in Japan」（伊奈英次賞受賞）ギャラリー・アートアンリミテッド / 東京
2011 年「記憶の森」遊工房アートスペース / 東京
2010 年「風景以前」新宿眼科画廊 / 東京
2009 年「BankART 妻有 桐山の家」越後妻有アートトリエンナーレ / 新潟
2007 年「食堂ビル 1929 食と現代美術 part4」BankART1929 / 神奈川
2007 年「世界は誰のもの？展」BankART1929 Studio NYK / 神奈川
2007 年「神戸ビエンナーレ　アーティスティックフォト」神戸メリケンパーク / 兵庫
2007 年「For Rent! For Talent! 3」三菱地所アルティアム / 福岡
2004 年「LOCALS」村松画廊 / 東京
2000 年「平成 12 年度大学院修了制作優秀賞展」武蔵野美術大学美術資料図書館 / 東京

【ワークショップ・公開制作】
2014 年「顔」展関連イベント『思い出のかけらで大きな顔をつくろう』川崎市民ミュージアム / 神奈川
2014 年「響く、回遊する」東京綜合写真専門学校 / 神奈川
2012 年「山をつくる」blanclass / 神奈川

Tamaki Shindo Biography

1974 Born in Tokyo
1998 BA Fine Art (Painting Course), Musashino Art University
2000 MA Fine Art (Painting Course), Musashino Art University (Excellent Graduates)
2006 Graduated from Tokyo College of Photography

Currently lives and works in Tokyo

Solo Exhibitions

2014 “Flying away,connecting with a path” Gallery Art Unlimited, Tokyo
2014 “Echo and migrate” Tokyo College of Photography, Kanagawa
2013 “Lying down and piling up” Seibu Shibuya, Tokyo
2012 “Late comer” hpgrp GALLERY TOKYO, Tokyo
2011 “I look for the seed sowed” hpgrp GALLERY TOKYO, Tokyo
2011 “Clock position” INAX Gallery 2, Tokyo
2010 “Wandering dunes” H.P.FRANCE WINDOW GALLERY, Tokyo
2010 “Sand of wetlands” LOOP HOLE, Tokyo
2009 “A moving mountain” Shinjyuku Ganka Gallery, Tokyo

Group Exhibitions

2013 “mujikobo contemporary × gimlet contemporary” mujikobo, Kanagawa
2013 “Night & Day New Landscape Photographers in Japan” (Eiji INA Award) Gallery Art Unlimited, Tokyo
2011 “Forest of memory” Youkobo Art Space, Tokyo
2010 “Previous Landscape” Shinjyuku Ganka Gallery, Tokyo
2009 “BankART TSUMARI KIRIYAMA HOUSE” Echigo-Tsumari Art Triennale, Niigata
2007 “Contemporary art and food part4, SYOKUDOBUILDING” BankART1929, Kanagawa
2007 “Whose is the world？” BankART1929 Studio NYK, Kanagawa
2007 “KOBE Biennale 2007 Artistic PHOTO” Kobe Meriken Park, Hyogo
2007 “For Rent! For Talent! 3” Art Gallery Artium, Fukuoka
2004 “LOCALS” Muramatsu Gallery, Tokyo
2000 “Selected Works from Musashino Art University Degree Show 1999” Musashino Art University Museum＆Library

Workshop・Open Studio

2014 “Face”Exhibition associated event“Let’s make a large face with pieces of memories” The Kawasaki City Museum, Kanagawa
2014 “Echo and migrate” Tokyo College of Photography, Kanagawa
2012 “Make a mountain” blanclass, Kanagawa

花園神社の境内を抜けたらまた花園

木下直之

花園神社の境内を抜けた先の新宿眼科画廊で、はじめてこのひとの絵を見た時の驚きは忘れられない。たしか手前の部屋に鮮やかな風景が、奥の部屋には色のない風景がぎっしりと並んでいた。陳腐な表現だけれど、気がついた時にはすでに風景の中をさまよっていた。江戸川乱歩の「押絵と旅する男」の兄のように。

ただし、惚れた女と押絵の中で暮らす幸せな男とは異なり、そこでは誰にも出会わない。鳥も飛んでいなければ獣も走らない。虫一匹いないのだ。とはいえ植物は繁茂し、鮮やかな花を咲かせ、けっして死の世界ではない。

スケールがまるでわからない。巨大な草花の下を、虫けらみたいな自分がさまよっているかと思えば、つぎの瞬間にははるか高みから、地上を見下ろしているような気分になる。どちらが上でどちらが下かがわからない。いや、どちらが手前でどちらが奥かも定かではない時さえある。いったいどこに向かって進めばよいのか。

昔、学校で、窓から外を見るように風景を描きなさいと教わった。目を凝らし、すべての線が画面奥の一点に向かって収斂してゆくと、風景に奥行きが生まれるよと先生は言ったものだ。

そんな風景画をせっせと学んだような気がするけれど、そんな風景はほんとうにはあるはずがないことは、冷静になってみればすぐにわかる。なぜならひとの目はいつも動いて落ち着かないし、身体だってじっとはしていない。そのうえ時間は一刻も止まることはない。さっきまで手前にあったものがいまはずっと遠ざかってしまうことはよくある。風景ばかりか日々の人間関係だってそうだといえば納得してもらえるだろう。

昔は油絵を描いていたと聞いた。ツナギの服を着て、絵の具まみれになりながら、嬉々として大きな画布に向かい合っている写真をどこかで見た覚えがある。なぜ油絵を写真に切り変えたのだろう。絵と写真は何が違うと考えたのだろう。美術大学に学んだというから、きっと窓の外の風景を描きなさいという授業も受けたに違いない。

でも、選んだ道は、絵の具を画布の上に置いていくことだった。ある絵の具をある大きさに塗ったら、すぐ隣には今度はどんな色の絵の具をどのぐらい塗ろうかと考える作業が、いやそれは思考ではなく反射、無意識の行為だと思うが、そうすることが楽しくて楽しくて仕方がないという顔を、写真のこのひとはしていた。

じつは、世間でいうほど絵と写真の違いは大きくない。道具としての絵筆とカメラは違うのかもしれないが、生まれてくるイメージは、それを定着させる技術が異なっているにすぎない。

時々制作を公開して、このひとは惜しげもなく手の内をさらけ出す。もしも絵筆を動かすこととカメラのシャッターを押すことに、絵と写真との決定的な違いを認めるのであれば、いったん撮った写真をバラバラに切り取り、違う場所で、違う時間に撮った風景の断片を組み合わせ、その上から絵筆で色を塗り、さらにそれをまた写真に撮るという手の込んだ作業は、もともとは写真であったものを否定し、解体し、むしろ絵を描いているとしか思えない。

風景は窓の向こうに広がる景色などではなく、私もまたその一部である。その私はいつだって過去を思い出したり、これからを思い浮かべたりしながら歩いている。現在という特権的な時間など一瞬たりともない。そんないくつもの時間の中にいるという感覚を再現しようと模索するうちにたどり着いた先がこの世界なのだろう。

風景の中のどこかをこのひとも、さらには誘い込まれた大勢のひともさまよっているはずだが、まだ誰とも出会わない。これからも出会わないのだろうか。

きのした なおゆき（東京大学 教授／文化資源学）

人工と楽園 —— 進藤環のコラージュ

松本 透

鬱蒼とした森の中で道に迷ったとする。自分はいま何処にいるのか、何処に向かえばいいのか、何処から来たのか？

太陽の方角、山のかたちや土地の勾配、木々のシルエットや岩の位置、せせらぎの音や鳥の声などを手掛かりに、あなたは自分のいる地点や方位を測ろうとするだろう。いま見ている景色とかつて見た景色を照合しながら、記憶の痕跡を見つけ出そうとするだろう。失われた地図を再構成し、未知と既知のあいだで、もと来た道を探すだろう。

進藤環はこれまでに幾度か —— 下北半島のブナの原生林で、また屋久島の雪山で —— 道に迷い、危うく遭難しかけたことがあるという。記憶のハーケンを頼りに山中をさまよう遭難者の視覚には、彼女のコラージュの、特異な制作プロセスに通ずるものがある。

一枚の写真には、ある時、ある場所のまなざしが凍結されている。そうした異なる光、異なる土地、異なる視角の画像を切り刻み、並べ替え、貼り合わせることから、進藤環の制作ははじまる。いわば迷子になった視覚（そして記憶）の破片をつなぎ合わせ、色鉛筆で補彩し、複写する。—— この工程を何度も繰り返してできたのが、進藤環の作品だ。

うねうねと波打つ大地には、紅い幻花や、青い地衣植物や、お化けのような樹影がフラッシュバックし、黒々とした記憶の沼が口をあけ、もやが忘却の谷に垂れこめ、白い直射光がふいに景色の一部を掻き消してしまっている。彼女の視覚は、すべてのものの表面を —— 地面の、木立の、花弁や葉肉の裏側や内側をも —— 煙が地表を這うように触知していく。

意識化した中心視と意識のかたすみの周辺視という対比でいえば、進藤環の作品は、いわば画面のすみずみまで神経の張りめぐらされた中心視のパノラマ的 織りもの —— 視野の周縁であるどころか、起源の場所（＝わたし）から切り離された孤児たちの救済であり、新生といえよう。それらが、これまで一度も人目に触れたことのない禁じられた光景のような、わたししか知らない秘密の花園のような妖気を放つのはそのためだ。そこには、人の影が現われたことがない。

その彼女がここ数年、九州の産業遺産をはじめとする文明の廃園にカメラを向けはじめた。人工の構築物も人の手を離れればやがては自然に還っていくし、逆に、自然林と見えるものもじつは長い年月にわたって人の手が入ったものであること、要するに、わたしたちを取り巻く現実はもともと自然と人工物の長大なコラージュによってできていることに思い到ったためであるらしい。はさみと糊をもって、わたしの視覚の深淵へと降りていった彼女の前に、別の記憶の扉が開き、別の時間が流れこみつつあるようだ。

まつもと とおる（東京国立近代美術館 副館長）

遠くの森

藤村里美

進藤環の風景写真を見た時、不思議な既視感を覚えた。どこの風景だろうと、近づいて写真に目を凝らしてみると、奇妙な違和感がある。咲く時期の異なる花や、南国の草と北国の樹木が寄り添っている。これは写真家によって作られた風景であると気がつくと、ますます細部が鮮やかに見えてきた。後日「遠くで森を見ていた時と、近くで見ている時と視覚が変わっていく感覚を出したい」と語っていたが、私はしっかり彼女の意図にはまったようだ。

進藤の作品はコラージュという技法を使っている。コラージュは写真の技法というよりは美術の技法として広く知られている。おそらく誰もが学校の美術の時間で一度は試みたことがあるのではないか。コラージュの起源は正確にはわかっていないが、日本の和歌などを書き記した平安時代の料紙などに、他の色の紙をすき混んだものも含めて考えると、1000年以上の歴史があることになる。美術史の中で明確に出てくるのはキュビズムのパピエ・コレと言われる作品であり、その後ダダイズム、シュルレアリスムの作家が盛んに使った技法であった。

彼女は自分で撮った植物や風景の写真をプリントにして、それを徹底的にバラバラにする。それをまた丁寧につなぎ合わせて、1枚の風景に再構成している。写真をまるで素材のように使用して絵を描いているとも言える。そもそも「写真」という言葉は、真実を写すという意味であると解釈できるが果たして本当にそうであろうか。

日本に写真が導入されたのは江戸末期である。もしその時に英語のPhotographyをそのまま訳せば「photo」を「光」、「graph」を「絵、画」と訳せば「光画」となったはずである。それがいつのまにか「写真」という訳語が定着した。戦後日本の写真では、木村伊兵衛や土門拳の推奨した「リアリズム写真」が主流となったからか、写真に手を加えるということを極端に忌み嫌う時代が長く続いた。その呪縛が解け、写真を絵のように扱うということが広く容認されてきたのは20世紀末のころだった。同じころコンピューターがPC（パーソナル・コンピューター）と呼ばれ、広く普及するようになった。デジタルで写真を撮影し、PCに写真を取り込み、不要なものを消し、他の写真と組み合わせるような行為はごく一般的に、簡易にできるようになった。

しかし進藤は19世紀の作家と等しくアナログ的に切り張りして制作を続けている。これら作品が他のデジタルでつくられた作品と違った魅力を引き出しているのは、このアナログ感であろう。作品の中の1つ1つの木や花は実際に存在しているものである。その現実感が、見る側の持つ記憶を刺激させ既視感を及ぼすのではないか。写真の「真」は「真実」とも解釈できるが、「現実」とも解釈できる。進藤環の作品は「真実」ではない。ただ「現実」を彼女の手によって再構成し、もういちど写真として蘇らせている。

いうなれば、彼女の作品は「光画」でもあり、「写真」でもある。しかしそこには一般的な風景写真ではない、彼女によってつくり出された心象風景ともいえる世界は、見る側の個人の持つ記憶や経験のなにかにそっと触れていくようだ。

ふじむら さとみ（東京都写真美術館 学芸員）

飛び越える、道をつないで
進藤 環

2014年7月18日　初版発行

ブックデザイン：尾原史和 (SOUP DESIGN)
協力：ギャラリー・アートアンリミテッド、東京綜合写真専門学校

発行者：吉田宏子
発行所：株式会社ハモニカブックス
〒169-0075 東京都新宿区高田馬場 2-11-3-202
Tel: 03-6273-8399 Fax: 03-5291-7760
E-mail: info@hamonicabooks.com

印刷・製本：アベイズム株式会社

Printed in Japan

FLYING AWAY, CONNECTING WITH A PATH
TAMAKI SHINDO

First Published, 18 July, 2014

Book Design: Fumikazu Ohara
Cooperation: Gallery Art Unlimited, Tokyo College of Photography

Publisher: Hiroko Yoshida
Published by hamonicabooks Co.,Ltd.
202, 2-11-3, Takadanobaba, Shinjuku-ku, Tokyo 169-0075, Japan.
Tel: +81-3-6273-8399 Fax: +81-3-5291-7760
E-mail: info@hamonicabooks.com

Printed by Abeism

Printed in Japan

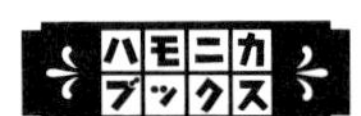

www.hamonicabooks.com